Les animaux dans ma cour

LES PUMAS

Aaron Carr

Weigl

Publié par Weigl Educational Publishers Limited
6325 10th Street SE
Calgary, Alberta T2H 2Z9
Site web : www.weigl.ca

Catalogage avant publication de Bibliothèque et Archives Canada

Carr, Aaron
[Cougars. Français]
Les pumas / Aaron Carr.

(Les animaux dans ma cour)
Traduction de : Cougars.
Publié en formats imprimé(s) et électronique(s).
ISBN 978-1-4872-0026-8 (relié).--ISBN 978-1-4872-0027-5 (livre électronique multiutilisateur)

1. Couguar--Ouvrages pour la jeunesse. I. Titre. II. Titre : Cougars. Français.

QL737.C23C3714 2014 j599.75'24 C2014-901495-3
C2014-901496-1

Imprimé à North Mankato, Minnesota, aux États-Unis d'Amérique
1 2 3 4 5 6 7 8 9 0 18 17 16 15 14

052014
WEP010714

Coordonnateur de projet : Jared Siemens
Directeur artistique : Terry Paulhus
Traduction : Translation Cloud LLC

Weigl reconnaît que les images Getty sont le principal fournisseur d'images pour ce titre.
Page 16: Sebastian Kennerknecht.

Dans notre travail d'édition nous recevons le soutien financier du gouvernement du Canada par l'entremise du Fonds du livre du Canada.

Les animaux dans ma cour

LES PUMAS

CONTENU

À propos du puma.

Le puma est un grand félin
avec une fourrure brune.
Sa fourrure brune l'aide à se
cacher des autres animaux.

Il vit avec sa mère lorsqu'il est jeune.

Lorsqu'il est jeune, il se cache des autres animaux dans sa tanière.

Ses pattes sont fortes et noires.

Avec ses longues et fortes pattes, il peut sauter 9 mètres.

Il a une longue queue.

Avec sa longue queue,
il garde son équilibre haut.

Il peut bien voir avec ses yeux.

Avec ses yeux, il peut
voir dans le noir.

Il marche très lentement.

Très lentement, il se faufile
dans les autres animaux.

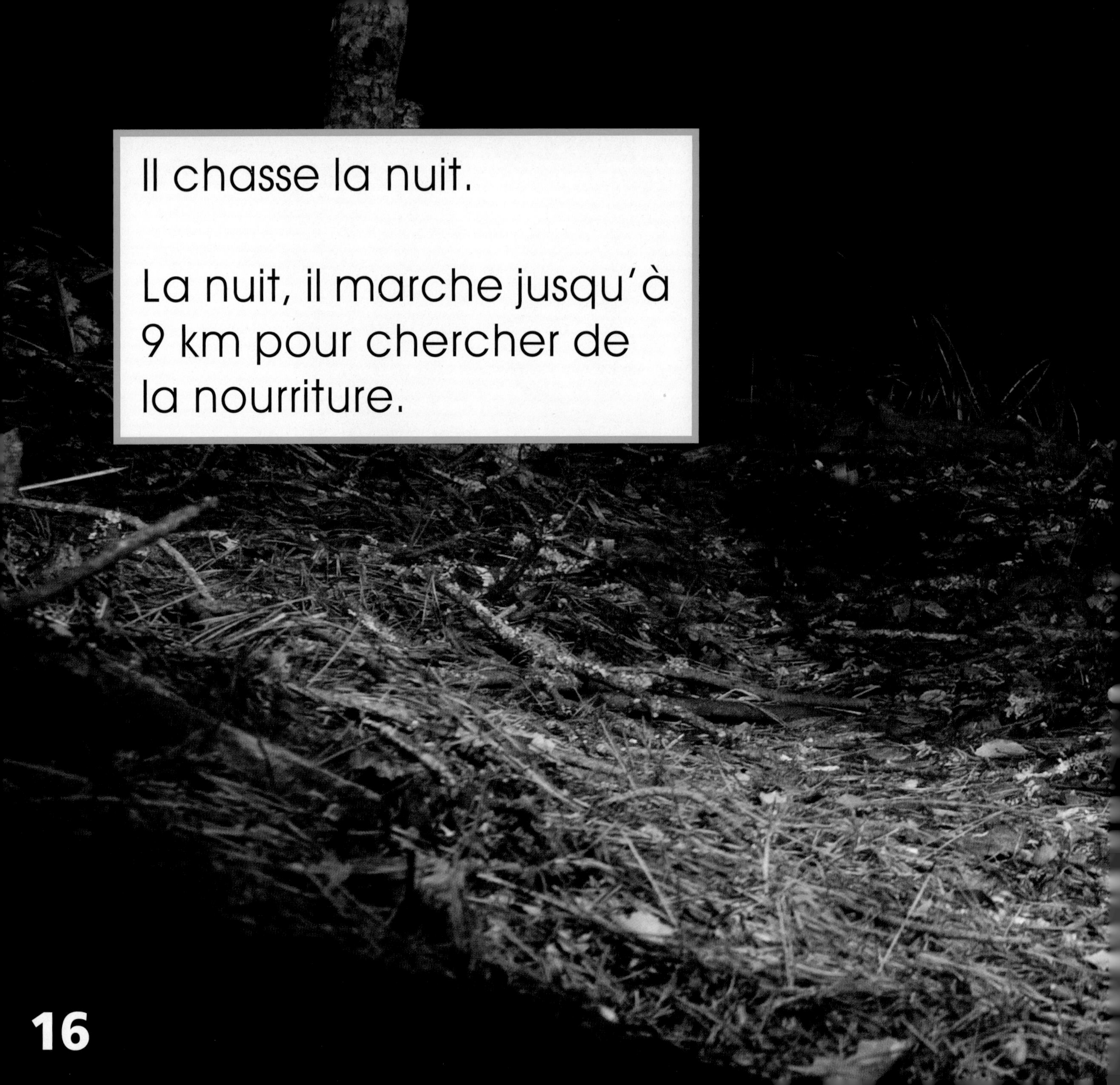

Il chasse la nuit.

La nuit, il marche jusqu'à 9 km pour chercher de la nourriture.

Il vit en Amérique
du Sud et du Nord.

En Amérique du Nord et
du sud, il vit dans des forêts,
des désert et des marais.

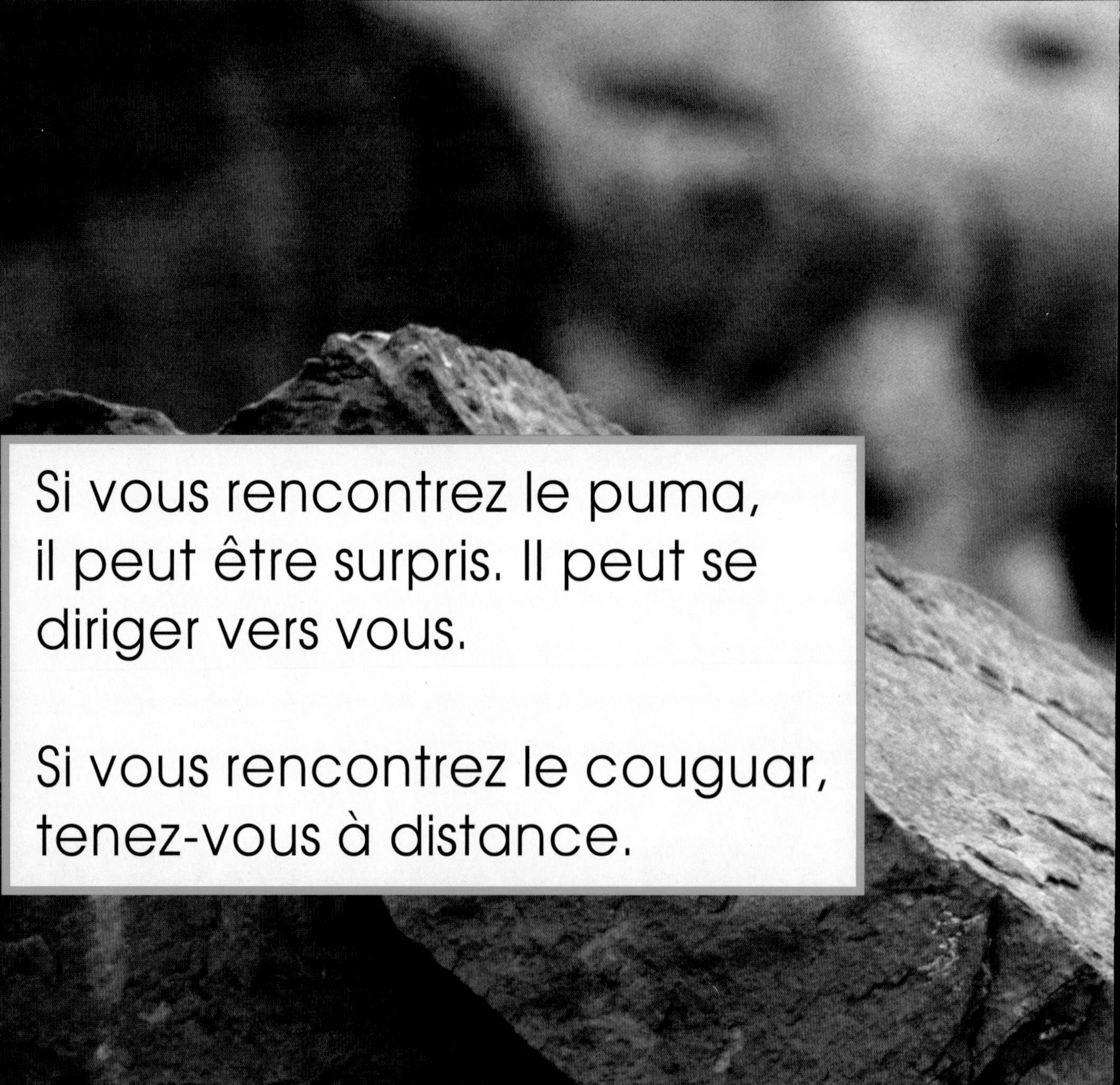

Si vous rencontrez le puma, il peut être surpris. Il peut se diriger vers vous.

Si vous rencontrez le couguar, tenez-vous à distance.

FAITS SUR LE PUMA

Ces pages fournissent plus de détails sur des faits intéressants trouvés dans le livre. Ils sont destinés à être utilisés par des adultes comme un outil d'apprentissage pour aider les jeunes lecteurs à approfondir leur connaissance sur chaque animal compris dans les séries *Les animaux dans ma cour.*

Pages 4–5

Les pumas sont de grands félins avec une fourrure brune. La nuance de brun peut varier du gris au brun rougeâtre. Le puma a habituellement une fourrure blanche dans sa bouche. Il est la deuxième plus grande espèce de félin dans l'hémisphère de l'ouest. Le puma est plus grand. Il est connu pour peser 100 kg (220 livres). Il peut mesurer jusqu'à deux mètres de long (6.5 pieds), y compris sa queue.

Pages 6–7

Les pumas vivent avec leurs mères quand ils sont jeunes. Ils peuvent les utiliser pour sauter 5.5 m (18 pieds) directement dans l'air. Les pumas peuvent aussi couvrir une distance de 9 m (30 pieds) en un seul saut. Leurs fortes pattes ne sont pas seulement pour le saut. Les pumas sont aussi connus pour courir à une vitesse de 56 km par heure.

Pages 8–9

Le puma a une longue queue. La queue d'un puma peut mesurer 0.75 mètre de long (2.5 pieds). Sa queue est assez épaisse et lourde par rapport aux autres espèces de félin. Le puma utilise sa longue queue lourde pour garder son équilibre. Sa queue fonctionne aussi comme un contrepoids pour lui permettre de se tourner rapidement tout en courant. Ses grosses pattes avant aident son équilibre aussi.

Pages 10–11

Le puma a une excellente vision. La queue d'un puma peut mesurer 0.75 mètre de long (2.5 pieds). Sa queue est assez épaisse et lourde par rapport aux autres espèces de félin. Le puma utilise sa longue queue lourde pour garder son équilibre. Sa queue fonctionne aussi comme un contrepoids pour lui permettre de se tourner rapidement tout en courant. Ses grosses pattes avant aident son équilibre aussi.

Pages 12–13

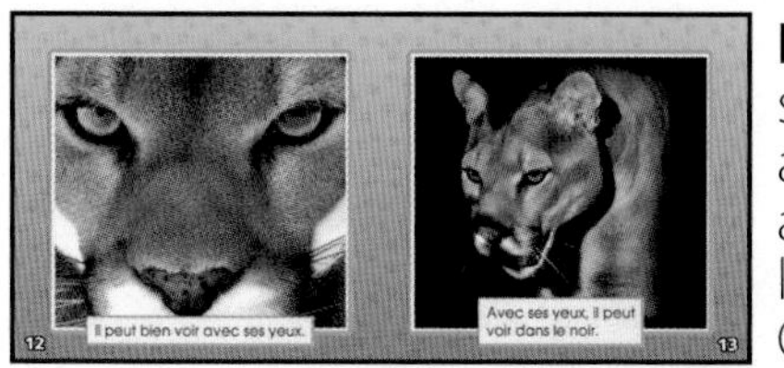

Le puma a une excellente vision. Le champ de vision du puma s'étend sur 130 degrés. Comme les autres félins, les yeux du puma sont adaptés à voir la nuit. Il a une couche de réflexion au fond de ses yeux appelée tapetum lucidum, qui signifie « tapis brillant. ». Ceci reflète une lumière à l'intérieur des yeux pour aider les pumas à mieux voir la nuit. C'est pourquoi les yeux du puma brillent dans le noir.

Pages 14–15

Les pumas bougent doucement et soigneusement pour suivre leur proie. Le puma utilise la rapidité et la discrétion en chassant. Il suit d'abord leur proie en bougeant doucement pour éviter d'être vu. Il attend une occasion d'attraper sa proie et se jette sur elle. Il couvre rapidement la distance pour attraper sa proie avant qu'elle ne s'enfuie.

Pages 16–17

Les pumas chassent la nuit. Ils préfèrent chasser la nuit, au crépuscule ou à l'aube. Les pumas chassent en général des cerfs, mais aussi des petits animaux comme des coyotes, des ratons laveurs, des lièvres, des opossums et des porcs-épics. Les pumas parcourent jusqu'à 10 km en une nuit pour chercher de la nourriture. En Amérique du Nord, le puma chasse en moyenne 48 cerfs chaque année en plus des autres petits animaux.

Pages 18–19

Les pumas vivent en Amérique du Nord et du Sud. On les trouve de l'Alaska à l'extrémité sud de l'Amérique du Sud. Les pumas s'adaptent à de nombreux habitats, notamment la forêt, les chaparrals, les terres humides et les déserts. Les couguars ont différents noms. En Amérique du Sud, ils sont appelés pumas. Dans certaines parties des États-Unis, ils sont connus comme des lions de montagne. Ils sont appelés panthères en Floride.

Pages 20–21

Faites attention aux pumas lorsque vous êtes dans la nature. Lorsque vous rencontrez un puma dans la nature, il pourrait être surpris ou avoir peur. Il peut vous attaquer pour se protéger. Les pumas évitent habituellement les gens. Cependant, des attaques sont dénoncées chaque année au Canada et aux États-Unis. La plupart des victimes sont des gens qui voyagent seuls. Pour éviter de rencontrer un puma, voyagez toujours en groupe.